괴현상 처리반 - 猫項懸鈴 [1부]

괴현상 처리반 - 猫項懸鈴 [1부]

발 행 | 2023년 12월 06일
저 자 | 수박칼
펴낸이 | 한건희
펴낸곳 | 주식회사 부크크
출판사등록 | 2014.07.15.(제2014-16호)
주 소 | 서울특별시 금천구 가산디지털1로 119 SK트윈타워 A동 305호
전 화 | 1670-8316
이메일 | info@bookk.co.kr

ISBN | 979-11-410-5747-3

www.bookk.co.kr

괴현상 처리반 猫項懸鈴 [1부]

수박칼 지음

CONTENT

이 긴 이야기를 시작하기 전,

3XXX년

꽤나 먼 과거, 인류는 제3차 세계대전 핵폭팔의 후유증으로 DNA의 변형 현상이 일어나 인간이라고 특정할 수 없는 모습의 사람들까지 생겨나기 시작했다.

이젠 인간이란 개념으로 모든 인류를 아우르기 힘들어질 지경이 되었기에 판타지 속 종족들의 이름과 특징들을 본떠 사람들을 구분 짓기 시작.

그렇게 지금 지구에는 신체적 변형이 일어난 변인, 자신의 몸을 기계로 바꾸어버린 금인, 그리고 DNA 변형이 일어나지 않은 평범한 인간 이렇게 세 종족으로 나뉘어 불리게 되었다.

그중에서도 다른 능력을 깨우친 즉, 초능력을 쓸 수 있는 사람들은 특이점이라 불렸고, 그들은 국가의 중요한 전력이 되었다.

이 이야기는 한국에서 정부의 이름 아래 특이점 관련 일을 해결하는 괴현상 처리반의 이야기이다.

[프롤로그 - 사건의 시작]

새벽 6시.

평소 사람들의 말소리나 들릴까 싶은 야심한 밤. 구석진 골목길에 웬일인지 소란스러움이 가득했다. 골목길의 입구를 막고 있는 폴리스 라인, 웅성거리는 사람들의 소리와 경찰차의 사이렌 소리. 이 모든 게 골목길에서 무슨 일이 일어나도 제대로 일어났다는 것을 암시했다.

골목어귀에 주차한 경찰차에서 내린 한 중년의 남성, 그는 머리가 아파온다는 표정으로 자신에게 다가오는 후배를 바라보며 말했다.

"… 오랜만에 조용하다 했더니만 대형사고가 터지고 난리…. 피해자는 저 안쪽에 있냐."

"그., 그게 말입니다. 우욱…. 지금 피해자의 시신 상태가.. 기괴하고 잔혹해서 감식반도 못 들어가고 있습니다…"

"그래서 안에 안 들어가고 이러고 있었다고? 장난해?"

강력반 형사로 반평생을 살아온 류호인은 후배 형사의 반응을 보고 고개를 내저었다. 그러고는 토하기 직전인 후배를 밖에서 대기 시켜

놓고 폴리스 라인을 넘어 안으로 들어갔다.

그 골목길은 전등 하나 없어 골목길의 안쪽으로 들어가자 분명 해가 중천에 떠있는 대낮임에도 그림자가 져 어두운 상태였다.

“허어…”

분명 자신은 입이 있었지만, 말을 할 수가 없는 느낌이었다. 그 또한 저 정도로 기괴한 상태의 시신은 처음이었기 때문에, 공포감에 굳은 머리로 간신히 왜 후배가 감식반이 왜 그렇게 반응했는지 이해했을 뿐이었다.

그렇게 몇 분이나 지났을까, 그 사이에 나이를 더 먹은 듯한 얼굴로 사건 현장을 나온 그는 괜찮냐며 걱정하는 후배의 물음에도,

이 한마디를 내뱉었다.

“괴현상 처리반한테 연락해. … 우리가 맡을 사건이 아니야.”

[첫번째 톱니바퀴]

오전 7시.

위엄 넘치는 정부 산하 건물. 그곳은 이른 아침임에도 사람들이 분주히 돌아다니며 자신들의 일을 하는 중이었다. 그 분주한 사람들의 틈을 비집고 급하게 건물의 깊숙한 곳으로 들어가는 한 남자가 있었다. 좋게 말하면 은밀한 곳이었고 나쁘게 말하면 구석진 곳.

마침내 그는 자신이 원하는 장소에 도착했는지 걸음을 멈추고.. 그는 문을 벌컥! 열고는 소리쳤다.

“사건이다!! 일할 시간이야!!!”

“예? 뭐요? 사건?”

남자의 고함에 소파에서 자고 있다가 깜짝 놀라서 침을 닦는 멍청한 표정의 젊은 근육 덩어리 ‘메리’

“저... 새벽 4시까지 현장.. 굴러다니다가 왔으요..... 팀장님.. 나 이미 그 사건 아는디...”

코끝이 닿을락 말락 할 정도로 앞머리가 길어, 죽어가는 목소리와 함께 두 배로 음침해 보

이는 ‘전정명’

“팀장님~ 머리 울려요~ 시끄러운 남자 매력 없는데”

장난스러운 웃음을 지으며 손으로 입을 가리고 웃으며 꼬리를 살랑거리는 검은 고양이 수인 ‘슈나’

“그만큼 바쁜 일이 생긴것 아니겠나요.”

정장에 코트까지 걸치고 가죽 장갑마저 끼고 있는 부드러운 인상의 눈웃음 지은 ‘롤랜드’

“메리. 잠 좀 깨고! 정명이 너는 브리핑 준비하고! 너한테 매력 있을 생각없다!! 슈나! 롤랜드...씨는 회의실 불좀 꺼주십쇼..”

마지막으로 네 명에게 할 일을 지시하는 피곤

하고 날카로운 인상의 중년 남성 '이한' 팀장.
이 다섯 명이 속한 부서의 이름은 괴현상처리반. ... 이래 보여도 나름 능력 있는 인물들이다. 전정명이 새벽의 피로 때문에 반쯤 좀비처럼 브리핑을 준비하고 있을 때, 불을 끄고 다가온 롤랜드가 자신의 팀장에게 물어왔다.

"팀장님. 이번 사건이 꽤나 이상했나 봐요. 그렇게 급히 뛰어오신것을보니."

"그동안 큰일이 없던 게 이것 때문이었는지... 쯧! 브리핑 보면 알겠지만 시신 상태가 제정신이 아니다. ... 내 감이지만 99.9% 특이점 짓이야."

"그렇게까지 말씀하시니 시신 상태가 궁금할 지경인걸요? 하하."

시신이 끔찍하단 소리에도 전과 같은 미소를 짓고 있는 롤랜드의 모습에 이한은 질린다는 표정으로 그를 보았고 그렇게 형성된 묘한 침묵을 깨는 건 언제나 그렇듯 전정명의 피곤함에 찌든 목소리였다.

"준비됐으요...팀장님아.."

".... 다들 회의실 가서 자리에 앉아라!"

천장에 달린 빔프로젝터가 빛을 내기 시작하며 회의실 한쪽 벽에 한 사진을 띄우기 시작했다. 모든 관절이 인간이라면 꺾일 수 없는 방향으로 뒤틀려 있고 심지어 머리는 깔끔하게 잘려 있는 시체의 모습이었다. 기괴하고 또 기괴한 모습이었지만 이 사건은 여기서 끝이 아니였다.

"이건 오늘 새벽 발견된 시신의 모습이여라...

최초 신고자가 약 5시 10분 쯤에 새벽 지름길로 편의점 갈 때는 시신이 없었다가 집 가는 길, 한 5시 40분쯤에 시신이 생겼다고 하드라고. 시체 상태나 진술로 보아 사망 추정시간은 5시 10분에서 5시 40분 사이여라. 모든 관절이 역으로 꺾여 있는디..”

정명은 레이저 포인트로 시신의 여러 부분을 가리키며 말을 이었다.

“여, 손을 보며는.. 뒤로 꺾인 것도 아니라 양옆으로 꺾였으요. 손목이랑 발목은 멀쩡해 보이지마는 360도 돌아가서 제자리에 있는 것처럼 보이는 기고, 다리는 또 위로 꺾여있고, 아니 발가락은 왜 또 손가락 마냥 일일이 꺾어 놓은 기래요??”

“진정하고. 목은 어떻게 된 거냐?”

“칼로 자른 것도 여 절단면 보다는 안 깔끔할 기라. 그리고 여, 여 피투성이 사건 현장 보이시제? 이 피가 모두 다른 부분이 아니라 목 절단 부분에서 다 흘러 나온 것처럼 보이덥니다. 사망원인도 목의 출혈로 인한 과다출혈 같고, 제대로 된 건 부검 나와봐야 알겠지마는.”

시신의 상태를 말하던 그는 정확한 정보를 전달하기 위해서인지 손에 쥐고 있던 서류를 보고는 피피티의 화면을 넘겼다. 그러자 보이는건 50대 중반으로 보이는 한 남자의 사진과 간단한 신원이 적혀있었다,

“요 남자가 이번 피해자로 나이는 58세, 이름은 '탁스코' 따로 직업은 없다고 나와 있었으야. 가

족관계는 아내, 아들 한 명. 저렇게 잔인하게 죽인 거 땜시 원한 살인인가 하고 생각하고 있는디...”

원한이 없다면 나올 수 없는 시신의 모습에 다른 팀원들은 침묵으로 정명의 말에 동의했다.

“그거 때문에 이미 일반 경찰 쪽에서 싸아악- 주변 조사했다고는 혀요. 이 사람이 평소에 친절했나 보드라구. 경찰이 써놓은 조사 내용 보며는 다들 평이 좋았어가지구... 내가 고 지인들 전화번호 가져와 보긴..”

“겉만 봐선 모르죠. 흐음, 이번 피해자 지인들과는 한번씩 만나봐야 겠네요. 제가 오늘 오후에 지인들과 만나볼게요.”

조용히 전정명의 브리핑을 듣던 롤랜드는 수첩에 피해자 지인들의 이름과 전화번호를 옮겨 적으며 눈웃음 지었고 더 브리핑할 것이 없다면 피해자 지인들과 전화하고 만나보겠다며 자리를 나섰다.

이곳에 모인 이들 중에 사람을 가장 잘 대하는 건 그였기에 다른 팀원들은 고개를 끄덕였다.

"부검 결과는 언제쯤 나오려나.."

"아마 오후 5시쯤 나오지 않을까 싶습다! 항상 그쯤 나왔지 말임다? 그러면 팀장!! 난 뭐하면 되는검까!?"

".. 너랑, 전정명, ... 너 능력 안 쓰고 왔으면 가서 써라. 범죄현장 가자. 슈나도 심심하면 따라와라."

"...그때 능력 안썼제, 내 눈 희생해야겄구마이?"

“포기하면 편한 거 알죠~? 물론 포기 안 해봤자 해야하는건 똑같아요~ 정명씨. 화이팅~”

슈나는 굳이 자신까지 움직일 필요는 없다고 판단하고는 소파에 늘어져 손을 살랑살랑 흔들며 잘 다녀오라 말했다. 그럴 줄 알았다는 표정을 지으며 잠시 슈나를 바라보았던 이한은 정부 건물 밖에

주차된 처리반 전용 차량으로 향했다.

빠른 걸음으로 걷고 있었기에 잘 따라오고는 있는 것인가 싶어 뒤를 돌아본 그는 흐느적거리는 걸음으로 자신을 뒤따르다 그 모습을 보다 못한 메리가 짐짝처럼 장정을 어깨에 들쳐메고 따라오는 익숙한 장면에 안심한다.

“너는 32세나 먹고 25살한테. 잘 하는 짓이

다."

"하하하! 뼈밖에 없어서 가볍습다!"

과연 메리는 저런 태도가 35세를 더 창피하게 만든다는 것을 알까. 전정명이 얼마나 창피해하든 상관없이 이한의 빠른 걸음은 목적지에 도착했고 자연스럽게 운전석에 탔다.

물론, 기술의 발전으로 굳이 직접 운전을 할 필요가 사라지는 했다. 그럼에도 그가 안전벨트를 하고... 운전대를 잡는다는 것은...

"티..팀장님..? 설마 직접..운전.. 하시는기..?"

"어. 바쁘니까."

“살려주심 안됨까..?”

“안전벨트나 매라.”

말하며 씨익 웃는 팀장의 미소에 뒷좌석에 탄 두 명은 자신들의 미래를 직감하고는 조용히 안전벨트를 매었다. 그렇게 몇 분이나 지났을까, 끼익 타이어가 마찰되는 소리가 나며 목적지에 도착했고 창백해져버린 두 명은 급하게 차 문을 박차고 나왔다.

“허억..흐어.. ㄴ..내 여 지금 이승이지예?”

“..차라리 곰과 싸우는 게 더 나을 것 같습다!!”

팀장, 이한의 운전은 좋게 말하면 빨랐고 나쁘게 말하자면 난폭해도 너무 난폭한 운전이었다...

홀로 태연한 표정으로 차에서 내린 이한은 범죄 현장에 상주중이었던 경찰의 경례를 받으며 새벽에 범죄가 일어난 골목길의 폴리스 라인을 가뿐하게 넘었고 그런 그를 따라 간신히 회복한 메리와 전정명은 다시는 이한이 운전하는 차를 타지 않겠다는 지켜지지 못할 말을 입에 담으며 폴리스 라인을 넘었다.

폴리스라인을 기준으로 평범해 보였던 큰길과는 아예 다른 공간인 것 같은 느낌마저 들었는데 그도 그럴 것이 바닥에 테이프로 표시된 발견된 시신의 위치, 아마 며칠 간은 조사 때문에 지워지지 못할 핏자국들. 이 모든것이 장면의 잔혹함을 보여줬기 때문이었다.

그때 골목길의 밖에서 이 마을에서 사는 부부같

은 두 사람이 서로 이야기하며 지나갔다.

"요즘 세상이 흉흉해서 원.. 쯧쯧. 그보다도 왜 죽길 여기서 죽어? 땅값 떨어지게...."

"아참! 이번에 죽었다던 그 있잖아 탁스코 양반.. 크흠! 그 양반이 가지고 있던 땅들은 풀리려나..?"

아마 저 부부들은 목소리를 낮춘다고 낮춘 것이겠지만 귀가 밝은 세 사람이 못들을 정도는 아니었다.

"내는... 이 사건도 사건인디... 저런 생각을 하고 있는 사람들이 더 무서버라. 쟈들 지인이 죽어도 저런 반응일까 봐 말이여요."

시야 밖으로 사라져가는 부부를 그는 질린다

는 듯 바라보며 몸을 가볍게 떨었다. 메리는 기분 나쁜 티를 팍팍 내는 표정이었고 왜인지 이상하다는 표정을 짓던 이한은 둘에게 물었다.

“너네.. 뭔가 오한..? 같은 거 안 느껴지나? 약간 익숙한..느낌인데...”

“오한? 약간 오싹한 느낌이긴 한디요.... 오한까지는 안느껴지는디..?”

“뭐 잘못 드셨슴까?!?”

“.......”

“억!!”

메리의 순진한 물음에 그는 괜히 메리에게 등짝스매싱을 선물해줬다. 그 선물을 받은 메리는 너무 감동적이었는지 눈물을 글썽거리며 중얼거렸다.

“..왜인지.. 팀장님 등짝스매싱은 아프지 말입다... 분명 솜방맹이인데..”

결국 한대를 서비스로 더 받은 메리를 뒤로하고 그는 전정명을 바라보며 말했다.

“능력 쓸 준비됐나.”

“지금 시간이 오전 11시니께.. 조금 무리하면 가능하겠으야. 쓰러지면 잡아주긴 해줄 거라 믿으요.”

“뭐 알아내면 잡아주고 아니면 안 잡아주고.”
“팀장님이 안 잡아주셔도 제가 잡을 테니 걱정하지 않아도 됩다!”

자신을 믿으라며 자신의 가슴을 주먹으로 툭

툭 치며 말하는 그녀를 보곤 피식 웃은 전정명은 시신이 발견되었다고 표시된 곳에 한쪽 무릎을 꿇은 상태에서 바닥에 손을 대었다.

얼마 안가 숙여지는 그의 고개. 그의 능력은 '사이코메트리' 자신의 손에 닿은 물건, 또는 생물의 기억을 볼 수 있다. 통상적으로 사이코메트리 능력을 쓰는 특이점들의 페널티는 다른 능력들보다 강한 경우가 대부분이라 알려졌다.

그건 정명의 경우만 보아도 사실임을 알 수 있는데 그는 두 눈이 불타는듯한 고통이 찾아오고 능력을 더 오래, 더 자주 쓰면 점점 시력이 나빠진다. 시간이 지나면 원래의 시력으로 돌아오긴 한다지만 시력을 잃어버린다는 공포는 극복하기 쉬운 건 아니었다.

그것을 알기에 이한은 꼭 필요할 때 아니면

정명이 능력을 쓰는 빈도를 줄이고자 노력했다. 하는 일이 하는 일인지라 그게 쉬운 건.. 아니었지만.

한 30분가량 지났을까. 능력을 다 썼는지 숙이고 있던 고개를 든 그는 일어나려 시도하기 무섭게 비틀거리며 옆으로 쓰러졌다. 다행히 그를 잡아주기 위해 준비하고 있었던 메리가 그가 완전히 넘어지기 전 잡아챘다.

"읏차! 편히 기대시길 바랍다!!"

"고마으요... 메리. 팀장님아.. 요 사건말이여요.. 긴장 풀지 말고 수사해야...."

식은땀 범벅이 된 그의 모습에 이한은 더 말을 듣지 않아도 알 것 같았다. 이 사건은 좋든 싫든 분명히 이 사회에 커다란 폭탄을 터트려버릴 거라는 것을.

"다른 이야기는 사무실 돌아가서 해. 미련한 놈. 쓰러질 것 같았으면 적당히 했어야지."

말투는 불친절하기 그지없지만, 내용만큼은 걱정을 가득 담은 말을 이한은 입에 담았다. 메리가 정명을 업으며 자신에게 보내는 '걱정되면서 괜히 그런다'하는 표정을 가뿐히 무시해주고 이한은 성큼성큼 골목길에서 벗어나가 차 운전석에 타고는 자율주행모드를 켰다. 그는 아픈 사람을 태우고 직접 운전하면 안 될 정도로 자신의 운전이 난폭하다는 것을 모르는 사람은 아니었기 때문에.

뒷좌석의 문이 열리고 메리가 정명을 태우고 그녀 자신도 탄것을 확인한 그는 차를 출발시켰다. 얼마나 시간이 지났을까. 조용히 정부 건물에 도착한 차에서 이한은 먼저 내려 뒷문을 열어주었다.

“회의는 오후 4시에 할 거다. 메리, 이놈 좀 휴게실에 던져두고 와라.”

“책임지고 정명씨 던져놓기 임무수행 하겠습다!”

“쎄..쎄게만 던지지 말아줘야.. 나 환자여...알제?”

결국 전정명은 메리에게 반쯤 들린 상태로 부축 당하며 휴게실로 사라졌다. 이한은 메신저 앱을키고 팀원들이 모두 들어와 있는 단톡방에 회의한다는 말을 보내 놓았다.

4시에 회의 한다

그 전까지 다 회의실에 앉아있어라

오후 3:06

잔소리 듣기 싫으면

오후 3:07

슈나

네넵~

전정명씨 상태는 괜찮아요~?

또 무리 했을텐데~

오후 3:08

메리

제가 방금 휴게실에 던져두고
오는길임다!

오후 3:10

메리

정명씨는 제가 4시에 깨워서
데려가겠슴다!

오후 3:11

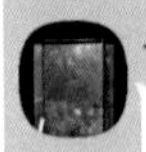

롤랜드

확인이 조금 느렸네요. ^^

피해자 지인분들중 한분 만나서
이야기 해봤어요.

오후 3:37

롤랜드

회의때 정리해서 가져갈게요.

오후 3:38

오후 4시.

약속한 시간이 되어 이한은 회의실의 문을 열었다. 그가 들어오고 잠시 뒤 전정명을 데려온 메리까지 회의실에 도착하자 모두 모인 상태가 되었다.

"생각보다 멀쩡해 보이네요~? 아참 아까 부검실에서 부검 결과 왔다고 하길래 제가 챙겨왔답니다~"

"이 모습이..말이여? 진짜? 장난 아니구?"

장난스러운 웃음으로 그의 불만을 능구렁이 마냥 넘어간 그녀는 부검결과가 적혀있는 서류뭉치를 가볍게 흔들어 보였다.

"회의시간에 맞춰 결과가 나왔네요. 5시쯤에

야 나올 줄 알았는데, 그리고 정명씨는 아까 잠깐이라도 쉬셔서 괜찮아 보이는 게 아닌가 싶어요. 조금 더 쉬셔도 좋을 것 같은데...”

“역시 나 걱정해주는 건 우리 롤랜드 형씨 밖에 없구마이..”

걱정스러운 듯한 표정으로 말을 한 롤랜드와 감동한 표정으로 그를 바라보는 전정명. 약간은 시트콤 같다는 생각을 하던 이한은 이내 손뼉을 한번 가볍게 쳐 주의를 환기시켰다.

“회의 시작하기 전에 한마디만 하겠다. 이번 살인 사건이 시작 같다는 느낌이 들었다. ... 내 착각이면 좋겠지만 감이 좋지 않아. 일단 먼저 부검결과부터 듣지.”

그 말을 들은 슈나는 자리에서 일어나 회의실

책상 가운데에 부검이 끝난 모습의 시신을 인화한 사진을 총 5장 내려놓았다. 그녀는 그중 목의 잘린 단면을 가리키며 말했다.

“부검의 화쌤 말로는 목 쪽의 출혈이 가장 마지막에 났다고 하셨어요~ 뭐... 그게 아니더라도 목이 똑! 하고 떼진 이상 출혈이 문제는 아니지만, 말이에요~? 여기서 알 수 있었던 건 이 사람은 목이 잘리기 전 모든 관절이 뒤틀렸고 그 아픔을 마지막에 마지막까지 느끼다 죽었을 거라는 거에요. 원한이 아니라면... 그게 더 말이 안 된다고 생각이 들어요~”

“.... 뭐가 그리 강한 원한이었던 건지... 어쨌든 그래서 목 단면은 뭐로 잘린 거냐?”

“아~ 그거는요...화쌤이 시간을 좀 달라고...”

그녀가 말을 이어가려고 한 사이 회의실의 문이 누군가에 의해 똑똑 두드려졌다.

“누구십니까. 회의 중입니다만.”

“아니까 온 거다. 내가 발로 차서 열기 전에 열어.”

“... 예.”

문과 가장 가까웠던 이한이 자리였던 이한이 누구인지 알아채고는 문을 열었다. 지금의 상황이라면 그녀가 온 게 도움이 되면 되었지 방해가 되지는 않을 게 분명했기 때문에.

“바쁘신 분이 여긴 어쩐 일입니까... 화 누님.”

“목 뭐로 어떻게 자른 건지 알아냈다. 그런

데… 심상치 않아서 이렇게 뛰어온 거고.”

부검의가 아닌 격투기 선수라고 해도 믿을 몸과 190을 넘긴 사자를 닮은 부검의 ‘사화’는 들어오자마자 뛰어오느라 흘러내린 앞머리를 쓸어 넘겼다. 그러고는 평범한 일상에서 이야기하는 듯이 말을 한다. 그 내용은 전혀 평범하진 않았지만.

“이 목 예상했겠지만, 초능력으로 한 거야.”

“그런 거라면 굳이 안 오셔도 됐던 거 아님까? 목을 저렇게 깔끔하게 자를 정도면 오러 사용자 아니겠슴까?”

“… 그게 아니고야… 결계여.”

“정답. 정명아, 너는 직접 봤겠지만, 결계로

자른 거다. 우리가 아는 경계는 주로 투명한 막을 원하는 모양으로 소환해서 방어막 또는 인식 저해용으로 쓰는 경우다. 그런 경우에는 크기도 크진 않지."

그녀는 말을 하다가 말고 목이 탔는지 뜸을 들이다 말을 이었다.

"하지만... 이 능력은 아니야. 사람의 얼굴에 한 면이 평면과 비슷할 정도로 크게 만들어 통과시키고 나서... 결계의 안과 밖의 공간을 분리한 것 같다. 그 결과 너무나 깔끔하고 쉽게 사람의 목과 얼굴이 분리된 거고. 나도 처음엔 긴가민가했는데 내가 초능력 써보니까 결계인게 확실해."

"망할... 그런 거라면... 그 능력 자체만으로도 문제인 것 같은데."

부검의인 그녀는 생명이 없는 것에 한해 그것에게 최근 한 달간 쓰였던 초능력의 흔적을 느낄 수 있는 초능력을 가지고 있었다. 그렇기에 초능력을 써서 살해당한 것 같은 시신은 모조리 그녀에게 보내졌는데 어디까지나 느낄 수 있는 건 흔적이기에 초능력의 유형만 알아채는 것이 다였지만 그것만으로도 그녀의 부검 능력은 검증된 것이나 다름없었다.

얼굴 색이 시퍼레진 이한을 뺀 나머지가 이게 대체 무슨 말이냐는 표정으로 화를 바라보는 시선에도 그녀는 머리 아프다는 듯 인상을 찌푸리고 있었을 뿐이지만 말이다.

“꼭 무적은 아닌 것 같았으요. 내가 봤을 때는 결계의 완성속도 자체는 느려 보였으니께. 한번.. 완전히 걸리면 벗어나는 것은 어려운 것 같지마는…”

정명은 소리를 지르다 결국은 소리를 지를 기운도 없어졌던 피해자를 떠올린 듯 몸을 한차례 가볍게 떨고는 자신의 목을 괜스레 더듬거리며 입을 열었다.

“사람이 죽는걸 보는 건 역시나 힘든일이구마… 는… 그리고 이게 가장 중요한 건데야.”

“아까 이야기 보다 중요한 거라면~ 역시나 범인에 관련된 이야기려나요~?”

그나마 충격을 진정시킨 슈나가 정명에게 말을 걸었다. 정명이 고개를 끄덕이는 모습에 내심 다른 이들도 기대하는 눈치였지만… 기대는 실망을 안겨주다 못해 충격을 흘러넘치도록 안겨주었다.

"관련된 이야기는 맞는디... 기대하는 내용은 아닐 거여요. 내는 범인 얼굴 못 봤으니께."

"그게 무슨? 지금까지 그런 적은 없었잖아!?"

"약간 범인들만 검게 칠해놓은 느낌이었으야."

"범인들? 두명이상임까?"

"왜 파고들면 들수록 머리가 아파지는 기분일까요~?"

"두 명. 한 명은 키가 한 195 정도고 다른 한 명은 180 후반? 쯤이었어야. 그... 피해자 죽인 결계가 생겼을 때 움직인 그걸로 봤을때.. 195 쯤되는 사람이 결계 쓰는 사람 같았는디..."

"195 정도에 결계사....?"

모두가 돌아가는 고개, 그 끝에는 롤랜드가 있었고 그는 어이없다는 표정으로 자기 자신을 스스로 가리키며 입을 열었다.

"저기... 음. 절 의심하는 건 아니죠? 그 키에 결계사가 저 말고 더 있을 수도 있는 거고 전 방패처럼 쓰이는 베리어 전문이에요. 그리고 그런 능력이 있었으면 제가 임금이 적은 정부에서 일할 필요가 없지 않았을까요."

"의심하는 건 아니였으요. 그 사람 결계색은 검은색에 가까웠고 롤랜드씨 결계는 연보라 색인 거 아니께..."

"그런 건 일찍 일찍 말하라고! 나만 나쁜 놈 됐잖아!!"

괜히 찔린 이한과.

“야. 설마. 너. 롤랜드씨를.. 결계사는 결계사마다 다른 색의 결계를 다룬다는 걸 모르지도 않을 사람이..”

“너..무 하심다!!”

“의심 많은 사람~ 별로다~”

이때다 싶어 발 빼는 팀원들과 화의 모습에 뒷목이 당겨 와 화내려던 걸 멈춘 그는 한숨을 쉬어 분위기를 조금 진정시키고는 입을 열었다.

“하아.... 이목이 집중된 김에 주변 사람들 인터뷰 결과나 말해 주십쇼...”

하하 웃은 롤랜드는 코트의 주머니에서 녹음

기를 하나 꺼내 책상 위에 내려놓는다.

“경찰 조사와 그리 크게 다른 내용이 나오진 않았어요. 피해자가 사람들에게 친절했다는 말이 대부분이었거든요. 하지만 이게 끝이었다면 굳이 제가 이 녹음기를 꺼낼 이유가 없었겠죠. 피해자의 아내에게서 꽤 수상한 증언을 얻을 수 있었어요. 녹음해 왔으니까 같이 들어보는 게 좋겠네요.”

그가 녹음기의 재생버튼을 누르자 치직 소리와 함께 슬픔에 잠긴 한 여성의 목소리가 흘러나오기 시작했다.

[치직- 음... 그이가 뭔가 이상했던 날이요..? 최근에는 없는 것 같은데...]

[굳이 최근이 아니어도 괜찮으니 아무거나 떠

오르는 것을 말해주세요. ... 남편분이 돌아가신 지도 얼마 되지 않아 떠올리기 힘드시겠지만...]

[... 생각나는 날이, 하나 있어요. 어느 날 제가 일하고 들어왔을 때 분명 아직 회사를 가 있어야 할 그이가 엄청난 현금다발이 담긴 쇼핑백과 함께 소파에 앉아있었는데...]

차마 말을 다 끝내지 못하고 감정이 북받쳐 올랐는지 흐느끼는 소리가 들린다. 흐느끼는 소리가 진정될 때 즘 다시 롤랜드의 목소리가 들려온다.

[현금다발이라.. 현금다발에 관련돼서 무언가 그가 한 말은 없던가요?]

[... 그이가 말하지 말라 하긴 했는데.. 이미 죽었으니 상관없으려나요.. 회사에서 퇴직금으

로 받았다고 했어요. 퇴직금으로 그 많은 돈을 받을 리가 없어서 물어봐도 아무에게도 말하지 말라는 말만 반복해서 말하더라고요...]

[많이 힘드실 텐데 말해주셔서 감사드려요..]

[다, 다 제 잘못 같아요..! 그때 그 돈다발이 무엇인지 물어라도 봤으면! 그랬으면.. 저희 딸.. 아직 중학교 1학년이에요.. 어떡해요.. 우리 딸.. 아직 애인데.. 어째..!!]

그녀의 말이 끝나자 그 이후의 녹음에서는 그녀가 자신의 가슴을 치며 통곡하는 소리만이 재생되었다. 롤랜드는 녹음기를 멈추고 코트 주머니에 집어넣었다.

"누가 봐도 이 회사에 뭔가 있어 보여서 찾아봤는데, '제로 제약'. 특별할 것 없는 회사였어요. 특이점들을 위한 제품이 꽤 많다는 것 정도.”

“뭐가 있는 건 확실해 보이는데 말임다.. 으! 머리 쓰는 건 최악임다!!”

“귀 떨어지겠다~ 머리아픈 일이라는 건 동의~”

“.... 퇴사하고 싶으요.”

그들의 이야기를 꽤 흥미진진하게 듣던 사화의 디바이스가 요란한 소리를 내며 울리기 시작했다.

“하아... 어째 부검실은 내가 없으면 돌아갈 생각을 안 하는지... 어차피 여기서부턴 내가 들어도 별로 이득 될 건 없어 보이니까 나 이제 밀린 부검하러 다시 가본다. 사건수사 수고하고.”

그녀는 전화를 받으며 회의실을 나갔다. 지금 그들에게 주어진 정보라고는 범인이 결계를 쓰는 특이점이라는 것과 피해자의 회사가 수상하다는 것.. 일단 이 두 개만을 가지고라도 수사를 시작해보기로 하고 회의를 끝낸 그들이었다.

... 이틀후

"아아아아악!!!! 안 해!!!"

서류에 파묻혀있던 이한이 서류들을 내던지며 소리 질렀다. 안 그래도 짙었던 그의 다크서클은 입꼬리까지 내려와 버렸다. 흩어지는 서류를 장식으로 폐인이 되어버린 그들이 소파, 회의실, 바닥 등등..

여기저기 널브러져 시체처럼 이번 사건과 비

슷해 보이는 사건, 결계 초능력을 가진 특이점들, 제로제약 관련 서류들을 전부 뒤적거리고 있는 풍경이 연출되었다.

"왜 서류를 보면 볼수록 모든 증거가 중간에 끊긴 느낌이지??"

"...애초에 결계사들 키를 다 알아보는 게 말이나 되는 기래요...?"

"난 이제 글자만 봐도 토할 것 같은데...~"

"......."

"하하. 메리씨는 이미 반즘 죽으셨네요."

이 난장판 속에 이한의 디바이스가 울렸다.

"뭐냐... 지금 사건 하나로도 머리 터질 것 같은데...괴현상처리반 팀장 이한입니다. 누구십니까."

잠깐의 정적 후... 그는 자리에서 벌떡 일어나 팀원들에게 말했다.

"준비해. 사건이다."

[2장-두번째 톱니바퀴]

"또 말이 이여요?? 이번 사건 피해자 발견한 지 얼마나 됐다구?!"

"세상이 말세다~"

그들은 지금 회의실을 박차고 뛰어나와 처리반 전용차가 주차된 곳을 향해 뛰듯 걷는 중이었다. 굳이 서두를 필요는 없었지만, 마음이 급해짐에 따라 걸음이 같이 빨라지고 있을 뿐이었다.

"전화가 무슨 내용이었길래 왜 이리 서두르는 겁까?"

어느새 정명을 업고서는 따라오고 있는 메리가 이한을 향해 물었다. 그는 과로사 직전의 표정을 짓고는 말했다.

“머리 없는 시체. 또 발견됐단다.”

“다시 범죄를 저질렀다고 하기에는 너무 앞선 범죄와의 간격이 짧아요. 비슷해 보일 뿐인 다른 살인이 아닐까요.”

차에 도착한 이한이 운전석에 앉으려던 걸 롤랜드는 정중한 손길로 막았다. 아주 잠깐 그와 눈씨름을 하다 결국 진 이한이 얌전히 조수석으로 향해 앉는다. 그 둘의 모습을 불안한 눈으로 바라보고 있었던 다른 팀원들은 이내 운전석에 앉는 롤랜드를 보고 안심했다.

“내 운전이 어때서..”

“잠깐 쉬고 계시라는 말이에요. 주소는 찍어

주실 거라 믿어요."

"이번엔 산에서 일어났단다.. 창산."

투덜투덜 거리면서도 뒤에 메리, 정명, 슈나까지 다 탄 것을 확인한 이한은 자동차의 내비게이션에 주소를 입력했다. 곧이어 출발하는 자동차를 자율 주행모드로 바꾸어놓은 그들은 30분쯤 걸릴 거라는 네비의 안내 방송과 함께 짧게나마 눈을 감고 휴식을 취했다.

왜인지 그들 모두 이럴 때가 아니면 한동안 휴식은 물 건너간 기분이 들었기에.. 약 30분 뒤 띵 소리가 나며 내비의 안내음성이 목적지에 도착했음을 알렸다.

"다들 내리세요. 목적지에 도착했답니다."

롤랜드의 부드러운 음성이 그들의 잠을 깨웠고 그들이 무거운 몸을 이끌고 내리자, 산밑은 살인사건이 일어난 산치고는 사람이 없었고 주차된 경찰차들만이 이곳이 살인사건 현장임을 나타내는듯했다.

"여, 여기 맞으요..?"

"어. 정확히는 여기가 아니라 위지만."

"위 말임까??"
어리둥절한 팀원들의 앞으로 한 인물이 그들을 반겨주었다.

"오셨습니까."

"이번에도 류호인 반장님이 사건 맡으셨나 봅니다."

“첫 사건을 담당했던 팀이 저희였다 보니 목이 없는 시체가 또 발견될 경우... 또 발견되지 않길 바라지만.. 앞으로 제가 연락드릴 겁니다. 아직 시신을 옮기지는 않았으니 늦기 전에 사건 현장으로 가시죠.”

류호인은 먼저 앞장서서 산에서 오르기 시작했다. 얼마 지나지 않아 사람들이 지나가는 등산로에서 벗어나기까지 하고는.. 이내 매우 낡아 보이는 교회 건물이 하나 보였다. 사건이 발견된 지 얼마 되지 않은 탓일까, 경찰, 과학수사대가 혼잡하게 그 주변을 채우고 있었다.

“여기입니다.”

“귀신이 나올 것..같이..후욱..생겼....으야...”

“너는 숨이나 고르고 말해라. 쯧. 겉보기엔 .. 피나 그런 게 보이지는 않는듯합니다. 그 전 사건에서 골목길이 피로 도배된 것과는 너무, 다른데.”

“... 이유는 들어가 보시면 아실 겁니다.”

반쯤 허물어져서 과연 제역활을 제대로 해낼 수는 있는 걸까 싶은 입구에 쳐진 폴리스라인을 넘어 안으로 들어간다.

“.........허.”
이한은 이 장면이 이질적이고 누군가 연출한 장면 같다는 생각이 들어 가만히 사건 현장을 바라보았다. 분명 전형적인 폐교회의 모습이었다.

하지만 시체가 부패하는 악취, 십자가와 그

뒤의 스테인드글라스는 먼지가 잔뜩 쌓여 더러워진 교회의 다른 공간들과 달리 최근에 누군가에 의해 청소되어 진 듯 비교적 깨끗했고, 그 두 개 말고도 가장 이질적인 건 따로 있었다.

마치 형용할 수 없는 재질의 무언가를 사용해 무릎을 꿇고 두 손을 모은 모양으로 조각한 조각상처럼 보이는 시신. 언뜻 보면 성스러워 보이기까지 할 모습이었지만... 그 석상의 목 위가 없다면 이야기가 달랐다. 싸한 느낌에 홀린 듯 그는 시신에게로 다가가 자세히 살핀다.

피부가 고온의 열로 지져져 몇몇 부분은 시커멓게 그을린 상태로 굳어 딱딱했던 반면 또 다른 부분은 지방이 녹아내려 하얀 돼지 지방과도 비슷해 보이는 것이 흐르다가 말라 굳어버린 흔적들도 보였다. 잘려있던 목의 단면은 피가 끓다 못해 단명에 눌어붙어 응당 살이란것이 잘렸다면 보여야 할 근육도 보이지 않았다.

사람의 상태가 이리되려면 엄청나게 강한 열기의 불이 필요한데, 시신만이 불에 탄 듯 그 주변은 일말의 탄 흔적조차 보이지 않았다. 죽은 지 시간이 꽤 지난 듯 먼지가 좀 쌓인 시신 상태를 살펴본 그가 조용히 고개를 들어 올렸을 때 마침 햇빛이 스테인드글라스를 통해 들어와 시신을 비추었다.

다소 어두웠던 교회의 안이 밝아지며 전에는 보이지 않았던 십자가에 날카로운 것으로 얕게 조각된 한 글귀가 눈에 띄었다.

'너의 죄를 용서해줄 신은 없다.'

기도하는 모습이었던 피해자를 비꼬기라도 하는 말투의 글귀.

“.... 이게 뭐 시여라..이게..”

“연극의 한 장면 같다고 생각이드는데..~”

“이상함다... 으...”

“... 사망추정시간은 나왔습니까.”

몸을 일으키며 주변에 있던 과학수사대 소속 사람 중 한 명에게 물어보았다. 그러자 질문을 받은 사람은 잠시 뜸들이다가 대답했다.

“시신의 부패 상태를 보아선.. 사망한 지 최소 일주일 이상 되는 걸로 추측하고 있습니다. 오히려 시신이 불에 타 부패 진행 속도가 느려진 것 같아서 말입니다.”

그 말인즉슨 현재 자신들이 맡고 있었던 사건

보다 전에 일어났던 사건이란 소리였다.

“이..일주일?!??! 그라믄 내 능력이 도움이 돼지는 못할텐디.. 그라도 모르니께 한번 능력사용 해보겠으야..”

건들면 금방이라도 쓰러질 것 같은 창백한 낯빛으로 시체 옆으로 다가간 정명은 땅에 손을 짚고 능력을 사용하기 시작한다. 눈꺼풀 사이로 들어오던 빛으로 약간이나마 밝았던 시야가 암흑으로 물들기 시작하고 얼마 가지 않아 펼쳐지는 교회의 모습은 그들이 이 교회를 처음 들어왔을 때와 다를 게 없었다.
빨리 감기처럼 재생되기 시작하는 4시간 전의 사건현장.

그렇게 몇 시간이나 지났을까, 역시나 이번에도 그가 능력을 사용했음에도 검게 칠해진 듯 보여 얼굴이 보이지 않는 두 명이 나타났다. 이번에는 이미 살인도 일어났는데 무얼할까 바라보고 있으니 두 인물이 서로 대화를 하기 시작했다.

둘의 목소리는 치직 거리는 소리에 가려져 내용 대부분이 들리지 않았지만 그중에서도 건진 것은 있었다.

'비밀공간', '못찾', '사람 옴' 일련의 대화가 끝나자 그 둘은 나갔고 이내 최초 발견자로 보이는 사람이 들어왔다가 소리치며 나가는 것까지 확인한 정명은 능력의 발동을 풀었다.

"으윽-!!"

그와 동시에 찾아오는 극심한 현기증과 두통이 그를 괴롭혔지만 이를 꽉 깨물며 한마디 내뱉었다.

“여기에.. 비밀공간이 있는 것 같고, ...하아.... 전 사건이랑 범인은 동일햐요....”

말한마디 끝내고 비실대는 그를 슈나가 받쳐주기 무섭게 말의 내용을 들은 류호인은 동료 형사들에게 소리쳤다.

“비밀방... 비밀방을 찾아야 한다! 움직여!”

그 말을 신호 삼아 경찰과 처리반 팀원들은 일사불란하게 여기저기 흩어져 이곳에 있을지 없을지도 모르는 비밀의 방을 찾기 시작했다.

다들 여기저기 벽을 만져보고 있을 때 메리가 한 자리에서 무언가 이상한 듯 미간을 찌푸리며 한 곳을 왔다 갔다 하고 있었다.

"흠, 여기 소리가 이상한 것 같은데 말임다…"

몇번 발로 바닥을 차보기까지 하던 그녀는 제자리에 쭈그리고 교회 바닥을 이루고 있는 나무 자재들 사이에 자신의 손가락을 박아 넣고는 그대로 들어 올려버렸다.

그러자 문처럼 생긴 것이 뚝, 떨어져 나왔고 가로 1m, 세로 1m 크기의 구덩이 속에는 커다란 가방 하나와 약 20개의 금괴, 마지막으로 '제로제약'이라고 쓰여 있는 회사원증 하나가 놓여있었다.

이것들을 발견한 메리는 '이게 왜 진짜 있냐' 하는 표정으로 내려다보다 정신을 차리고 이한을 바라보며 말했다.

"제가 찾았습다! 비밀의 방이 아니라 공간이 었나 봄다!"

그녀의 말을 듣고 이한은 라텍스 장갑을 끼며 구덩이 앞에 쭈그려 앉았다.

"금괴 보니.. 이 가방 안에 뭐가 들었을지는 뻔하다 못해 재미가 없..?"

그는 손을 뻗어 가방의 지퍼를 열자마자 할 말이 없어지고 말았다. 예상은 했지만, 그 예상이 반만 맞은 탓이었는데.... 가방 안에는 예상을 가뿐히 뛰어넘는 양의 돈다발이 가득 들어차 있었다.

"하나.. 둘. 셋.... 일단 5억은 넘겠군...."

어이없는 표정으로 자리에서 일어난 그는 자

신들이 이곳에 있어봤자 도움될 것도 얻을 것도 없다는 것을 깨닫고는 팀원들을 데리고 나간다. 여전히 사건 현장을 통제하기 바쁜 류호인에게는 고개만 까닥여 인사하고는 산에서 내려갔다.

다들 복잡해진 머리를 정리하려는듯 , 정부 건물로 돌아가는 차 안은 정적으로 가득 찼다. 심지어는 회의실의 문앞에서까지 조용하던 그들은 회의실에 들어가자마자 각자의 자리에 앉아 /한마디씩 하기 시작했다.

“5...5억이 뉘 집 개이름임까!?”

“심지어는 금괴들까지~.. 너무 대놓고 수상한 모습이다~”

“확실한 건 ‘제로제약’이 이 사태에 어떤 형태

로든 엮여있단 말이지.”

“대외적 이미지랑 다른 기업일 수도 있겠어요. 한번 깊게 파보는 게 좋을 것 같네요.”

“기업이 얽히면 수사 힘든데....”

“으어... 내가 전에 경찰청 데이터베이스에 회사 검색 한번 해봤는 디야.. 전과 없고.. 회사 대표 ‘카루스’ 특이사항이 뭐인지 알으요?”

전정명은 회의실 테이블에 머리를 박고는 다 죽어가는 목소리로 말해왔다. 그가 말하는 내용을 들은 이한은 그를 보며 고개를 까닥였다.

“청렴하고 사회에 봉사한 인물이라 쓰여 있드라고... 경찰청 데이타 베이스인디.....”

"경찰청은 '어릴 때 친구의 사탕을 훔침'을 적어놓을지언정 칭찬은 안 하는 걸로 유명하지 않습까???"

"드럽게 불안하게 만드네."

롤랜드를 뺀 나머지 4명의 한숨이 회의실 전체를 가득 채웠다. 쳐질 분위기를 바꾸어 보려는 건지 롤랜드가 자리에서 일어나며 말했다.

"여기서 계속 이렇게 쳐져 있는 것보다 회사에 직접 찾아가서 협조 요청해보는 게 어떤가요. 경찰청 데이터베이스에 나와 있는 대로 깨끗한 곳이라면 순순히 들여보내 주지 않겠나요."

"만약 거부하면?"

“거부한다면 거부하는 것이 수상하다는 이유로 수사영장을 더 쉽게 받아 올 수 있겠네요.”

”어쨌든 손해는 아니라는 뜻인가…“

고개를 끄덕여 이한의 말이 맞음을 표현한 그는 자신이 메리와 회사를 다녀오겠다 말하며 자신의 이름이 갑자기 불려 어리둥절한 메리를 데리고 회의실을 나갔다. 그렇게 다시 찾아온 정적.

그 정적은 약 2시간 뒤.. 모두가 이젠 말없이 졸고 있을 때쯤 회의실의 문이 열리며 깨졌다. 롤랜드와 메리가 돌아온 것인데 여전히 롤랜드는 웃는 얼굴이었지만 매리는 잔뜩 화가 난 듯 씩씩대었다.

“아니! 저 제로제약? 거기 마음에 안듬다!! 수

사 영장 들고오라면서 로비에서부터 저희를 막았습니다!!"

"어딘가 찔리는 게 있는 것 같아요."

"하, 지금 당장 수사영장 신청 넣고 온..."

이렇게 된 거 잘됐다는 표정으로 자리에서 일어난 이한은 몇 걸음 움직이지도 못하고 그녀의 말에 멈추어섰다.

"제가 이미 넣어놨는데 말이죠..~ 영장 발부 신청 기각당했는데..~?"

영장 발부기각, 기각 사유는 증거불충분.

그녀의 디바이스 속 이 글귀를 본 그는 어이없는 표정으로 바라보다 이내 그녀의 디바이스를 붙잡고 탈탈 흔들었다. 마치 사람 멱살을 잡고 흔드는 것 처럼.

“증거 찾으려고 받는 게 수사영장 아니냐고!!”

“아이고야! 진정하여라!”

몇분 내내 길길이 날뛰던 그가 진정하고서는 자신의 의자에 털썩.. 앉았다. 그는 분명 무언가가 존재하나 합법적으로는 알 수 없을 때.. 우리는 무엇을 해야 할까에 대해 생각하며 회의실 책상을 검지로 일정한 박자에 맞춰 두드린다.

“이 방법이 있었네.”

“무슨 방법 말인가요?”

“왜..불안한지 모르겠어야..”

“오오!! 무었임까!!”

“역시 팀장님~ 믿고 있었다니까~”

씨익 웃은 이한은 의자에 앉은 채 당당한 자세로 다리를 꼬고서는 팀원들을 바라보며 말했다.

“불법 좀 저지르자.”

“예!?!?!??”